*Para Vinícius e Bruno, dois meninos
de olhos bonitos e curiosos.*

© 2002 do texto por Carla Caruso
© 2002 das ilustrações por Angelo Bonito
Callis Editora Ltda.
Todos os direitos reservados.
2ª edição, 2010
3ª reimpressão, 2019

TEXTO ADEQUADO ÀS REGRAS DO NOVO ACORDO ORTOGRÁFICO DA LÍNGUA PORTUGUESA

Crédito das fotos:   *Estátuas e interior do santuário,* Rogério Reis/Tyba/Documenta
                                  *Anjo barroco,* Claus Meyer/TYBA/Documenta

Coordenação editorial: Miriam Gabbai
Revisão: Ricardo N. Barreiros
Escaneamento e tratamento das imagens: Márcio Uva
Diagramação: Carlos Magno

**CIP-BRASIL. CATALOGAÇÃO-NA-FONTE**
**SINDICATO NACIONAL DOS EDITORES DE LIVROS, RJ**

C317a
2.ed.

    Caruso, Carla
    Aleijadinho / Carla Caruso ; ilustrações Ângelo Bonito. - 2.ed. - São Paulo : Callis
Ed., 2010.
    il. color. - (Crianças famosas)

ISBN 978-85-7416-445-8

    1. Aleijadinho, 1730-1814 - Infância e juventude - Literatura infantojuvenil. 2.
Escultores - Brasil - Biografia - Literatura infantojuvenil. I. Bonito, Ângelo, 1962-.
II. Título. III. Série.

| 09-5688. | | CDD: 927.30981 |
|---|---|---|
| | | CDU: 929:73.034.7(81) |
| 03.11.09 | 09.11.09 | 016083 |

**Índices para catálogo sistemático**
1. Literatura infantil 028.5
2. Músicos: Literatura infantojuvenil 028.5

ISBN: 978-85-7416-445-8

Impresso no Brasil

2019
Callis Editora Ltda.
Rua Oscar Freire, 379, 6º andar • 01426-001 • São Paulo • SP
Tel.: (11) 3068-5600 • Fax: (11) 3088-3133
www.callis.com.br • vendas@callis.com.br

Crianças Famosas

# Aleijadinho

Carla Caruso e Angelo Bonito

callis

Cocoricóóó; blém, blém, blém; nhec, nhec, nhec; pocotó, pocotó, pocotó. O galo cantando; o padre tocando o sino; as janelas azuis, amarelas e verdes se abrindo e o cavalo trotando.

Todos esse sons juntos pareciam uma música que ia acordando os moradores da pequena vila mineira.

Chamava-se Vila Rica e, como o nome diz, era rica mesmo.

Toda cercada de montanhas bem arredondadas e verdes. Dentro delas, tinha ouro e pedras preciosas de todas as cores, que atraíam muitas pessoas do Brasil e de outros países. Todos querendo enriquecer! O que deu muita briga.

Isso há muito tempo, época em que o Brasil ainda era colônia de Portugal, e não era dono do seu próprio nariz. A maior parte da riqueza encontrada nas nossas terras ia embora, lá para além--mar, bem longe, chegando nas mãos do rei, da rainha e de toda a corte portuguesa.

Vila Rica estava sempre em movimento: enquanto os trabalhadores das minas estavam cavando a terra e fazendo túneis nas montanhas, no centro da cidade ouvia-se o rec rec das serras cortando a madeira para a construção de casas e igrejas.

— Antôôônioooo! Onde você está?

— Aquiii, pai!

Lá estava Antônio, um menino robusto de cabelos crespos e olhos pretos e espertos, debaixo de uma escada, olhando os artistas esculpindo os anjos do altar da igreja.

— Ora, pois, traga-me um martelo — dizia seu Manuel Francisco Lisboa, que gostava de levar o filho Antônio para ajudá-lo nas construções.

Seu Manuel era um famoso arquiteto português, que sempre ganhava muitas moedas de ouro com seu trabalho.

As crianças, nesse tempo bem antigo, ajudavam os pais no trabalho. Antônio era ainda bem pequeno, e às vezes se distraía quando passavam os vendedores ambulantes. O vendedor de galinhas era um homem alto e negro, que usava roupas coloridas e velhas.

As galinhas ficavam viradas de ponta-cabeça, amarradas pelos pés e penduradas nas calças, nos ombros e algumas ainda nas mãos do homem. E o vendedor de patos, então! Tinha um enorme cesto de palha em cima da cabeça, com um monte de furos de onde saíam as cabecinhas dos patos: qué, qué, qué...

— Nossa! E depois a gente come esses bichos! — dizia Antônio, arregalando os olhos.

— Vamos, é hora do almoço — chamava o pai.

E assim voltavam para casa.

Antônio entrava correndo, sua casa tinha o chão de madeira escura. Ele passava por baixo da mesa, sem precisar se abaixar, tão grande que ela era. Fazia isso escondido, para que dona Antônia, esposa de seu pai, não o visse.

Uma das coisas que Antônio gostava de fazer, dentro de casa, era olhar para a casinha dos santos que ficava na sala. Parecia um armário pequeno feito em madeira. Quando estava aberto tornava-se um minialtar de igreja: nas portinhas pintadas de azul, ficavam os anjos feitos em prata e, no centro, o crucifixo com Jesus Cristo.

Quase todas as casas da vila tinham essas casinhas de santo, que se chamavam oratórios.

— O almoço está pronto — avisava dona Antônia.

Lá estava a mesa posta, com os pratos de porcelana com desenhos azuis. Ela fazia uma grande mesa, bem bonita.

Antônio não era filho de dona Antônia, mas de uma escrava chamada Isabel. É que seu Manuel namorou sua escrava, ela engravidou e teve o menino. Nessa época, era difícil brancos e negros se casarem. Antônio já nasceu escravo porque sua mãe era escrava. Então, seu Manuel libertou o filho e Isabel, depois levou o menino para morar com ele e sua esposa Antônia.

Antônio passava a maior parte do tempo com o pai.

Quando seu Manuel trabalhava em sua loja de marcenaria, fazendo projetos para construir casas e igrejas, Antônio ia junto. Ficava sentado, bem perto, olhando o pai pegar o grafite e desenhar a parte da frente de uma igreja: a mão subia e depois descia com um traço fino.

— Boa tarde! — chegava o irmão de seu Manuel, Antônio Francisco Pombal. Cheio de papéis enrolados como se fossem tubos, lá ia sentar-se à mesa e desenhar.

O senhor Pombal também era arquiteto e havia projetado toda a parte interna de uma igreja muito famosa chamada Igreja do Pilar.

Antônio ia a essa igreja e ficava deslumbrado. Por dentro ela era uma caverna dourada, com altares todos feitos em ouro, cheia de arcos e colunas em espiral que iam subindo, subindo até o teto.

Antônio olhava os santos esculpidos em madeira e pintados com ouro, e imaginava que os anjos de asas brilhantes se desprendiam dos altares e flutuavam em cima da cabeça das pessoas que rezavam.

Saindo da missa, seu Manuel, ao lado do filho, voltava para casa: os dois subiam e desciam, subiam e desciam as ladeiras da cidade.

Próximos a eles passavam os escravos suados e descalços, carregando os nobres nas cadeiras de arruar, que eram todas pintadas e enfeitadas.

— Pai, posso correr um pouco?

— Sim, mas não demore.

Antônio foi correndo chamar outra criança que estava na rua:

— Francisco, vamos correr?

— Não posso, Antônio, tenho que entregar esta correspondência. Não sabe que sou escravo?

— Sei, mas pensei que pudesse...

— Tenho ainda que andar por muitas horas. Até logo.

— Até.

Antônio foi correr sozinho pelas ladeiras de terra.

Voltando para casa, encontrava outras crianças escravas abanando seus senhores.

Enquanto passava pelas casas, olhava nas janelas e via alguns meninos distraindo suas patroas, dançando ou tocando um instrumento musical.

Ainda pelo caminho, cruzava com as escravas vendendo mandioca, farinha e outros alimentos. Elas usavam saias estampadas e coloridas, turbantes na cabeça e muitas levavam seus filhos amarrados com um pano às costas.

Antônio era mulato. Não era fácil, porque na época os negros e mulatos eram escravizados e tratados muito mal. Ele sofria menos porque seu pai era branco e muito famoso na cidade.

E assim viviam os moradores, uns eram ricos e muitos eram pobres e explorados, o que era triste!

Muitas vezes as pessoas se revoltavam contra Portugal, que ficava com a maior parte da riqueza da cidade. E então falavam:

— Marotos!

— Cães!

— Patifes e piratas no furtar!

— Piolhentos!

Todas essas diferenças e revoltas pareciam ser esquecidas nos dias de festa de santos que havia em Vila Rica.

— Antônio, vamos logo, a festa vai começar — chamava seu pai.

Antônio colocava uma linda roupa.

Seu Manuel usava um bonito chapéu, um casaco azul-cobalto e botas. Dona Antônia, de vestido longo e um xale de rendas, ficava na janela da casa olhando a procissão passar.

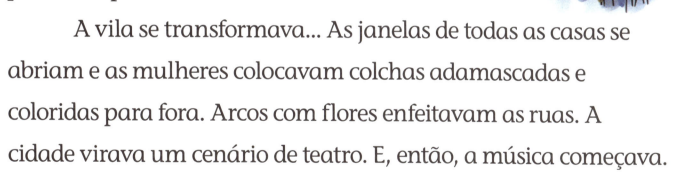

A vila se transformava... As janelas de todas as casas se abriam e as mulheres colocavam colchas adamascadas e coloridas para fora. Arcos com flores enfeitavam as ruas. A cidade virava um cenário de teatro. E, então, a música começava.

Antônio corria para ver de perto a imagem de Nossa Senhora que ia sendo carregada. A estátua da santa era toda coberta por um manto azul, bordado de estrelas com fios de ouro, na cabeça uma coroa feita de diamantes.

Muitos carregavam velas enormes que iluminavam o caminho. Antônio sentia a fumaça perfumada dos incensos e corria para ver as crianças tocando clarins. As pessoas seguiam a procissão gritando, chorando de emoção:

— Dai-nos fartura, Senhor!

— Saúde e alimento!

Lá vinham dois moleques tocando tambor: tum, tum, tum, tum. E, logo atrás, os padres com roupas de seda, trazendo a bandeira das suas igrejas. Depois vinham carros com desenhos de dragões, puxados por cavalos.

"Nossa, que medo que dá!", pensava Antônio, vendo os enormes dentes dos dragões nos carros.

Fogos explodiam no ar, como uma chuva de ouro e prata. Com o anoitecer, o nevoeiro envolvia toda a cidade: as igrejas e casas até desapareciam com a fumaça branca que descia das montanhas.

Antônio e sua família voltavam para casa. Mais à noite, saíam para os teatros e as danças.

Nos salões, homens alinhados rodopiavam com as mulheres em seus lindos vestidos rendados.

Antônio saía pelas ruas para assistir aos espetáculos e ouvia nos quintais e terreiros o som dos atabaques: os negros, os mulatos e os brancos cantando e dançando. Antônio espiava: eram tantos rodopios e requebros que o mundo parecia girar.

Depois da festa, a cidade retomava o seu dia a dia: seu Manuel, cedinho, junto com o filho, visitava as obras.

Antônio já estava ficando mais velho, e gostava de viver no meio das construções. Observava a forma das esculturas em madeira e apreciava os desenhos delicados dos anjos com as pernas e os braços roliços, as bochechas gordas e os cabelos anelados.

Quando acabava suas tarefas, gostava de ver os artistas atentos no meio das lascas de madeira e dos pedaços de pedra, fazendo riscos no papel, que aos poucos se tornavam figuras.

Mais um dia de trabalho e todos na casa de Antônio, assim que escurecia, punham suas roupas de dormir.

Ele ouvia os passos do pai, andando pela casa para apagar as candeias penduradas nos tetos. Apenas a vela junto ao oratório ficava acesa.

E, no meio da escuridão, o menino rezava. Até conseguir adormecer, ele ficava pensando nas figuras que os artistas desenhavam no papel, que depois de esculpidas na madeira ou na pedra pareciam vivas.

O tempo passava e muitas obras foram sendo construídas. Antônio crescia e aprendia a ler, a escrever e a desenhar. O garoto sabia que seu pai era um dos que trabalhava para a transformação da cidade. Admirava cada vez mais o pai, o tio e todos os artistas.

Até que um dia, quando estava com 13 anos...

— Antônio, venha me ajudar, faça o projeto do chafariz que será colocado aqui no pátio da casa do governador.

— Sim, pai! Vou pegar papel e grafite — e saiu correndo, todo afobado.

Antônio ficou pensando e enfim começou a desenhar. Quando terminou, seu pai, o tio e os demais artistas gostaram muito e logo trataram de construir o chafariz. E assim começou e não parou mais.

Quando adulto, sua fama cresceu e ele teve várias encomendas. Fazia projetos de arquitetura, esculpia muitas imagens de santos e tinha uma vida alegre:

— Hoje tem festa! — e lá ia ele passar toda a noite dançando o lundu, o congo, nos quintais e terreiros. Dançava tanto que o mundo parecia girar à sua volta.

Dentro da cidade, onde os negros e mulatos não tinham muita oportunidade, Antônio mostrava seu talento e conseguia o respeito de todos.

Era arquiteto, entalhador e escultor. Apaixonado pela arte, mostrava isso em suas esculturas de santos e anjos, todas muito expressivas.

A forma como eram esculpidas as roupas, o olhar, tudo criava movimento e beleza.

Em cima das portas das igrejas, os anjos esculpidos por Antônio, feitos de pedra em meio a formas de caracóis e redemoinhos azulados, tinham os cabelos revoltos e encaracolados, com um ar feliz e sereno.

Antônio ficou conhecido como Aleijadinho, porque quando já estava mais velho teve uma doença grave que ia entortando seus dedos. Dizem que ele ficou muito deformado, mas mesmo assim não parava de trabalhar.

Seu amor pela arte e pela vida era grande. Contam que ele vestia-se com um casacão todo azul e saía durante a madrugada para ir trabalhar, galopava em seu cavalo rapidamente, assim ninguém poderia ficar olhando para seu corpo deformado.

Sua obra é hoje visitada pelas pessoas de muitos países, e Aleijadinho está entre os maiores escultores do mundo.

O maior trabalho do mestre Aleijadinho foi encomendado por uma igreja numa cidade chamada Congonhas do Campo, em Minas Gerais. Ele deveria fazer cenas da *Bíblia* que contassem os Passos da Paixão do Senhor. Foram anos de trabalho, junto com uma equipe que o ajudava. Essas esculturas estão dentro de sete pequenas capelas brancas.

Em frente à igreja, Aleijadinho esculpiu, nos blocos azulados de pedra-sabão, os 12 profetas da *Bíblia*. E lá estão: Jeremias, Ezequiel, Habacuque, Naum, Joel, Oseias, Baruque, Jonas, Daniel, Amós, Abdias e Isaías.

E permanecem lá há séculos, olhando para todos os lados, recebendo chuva, sol, vento e ouvindo o sino da igreja: blém, blém, blém.

Estátuas do Aleijadinho em Congonhas do Campo/MG

Anjo barroco de Aleijadinho

Interior do santuário, cena da Santa Ceia

A cidade de Vila Rica passou a se chamar Ouro Preto. Hoje ela é uma cidade histórica, porque mantém muitos prédios e casas do jeito que eram na época do Aleijadinho (séculos XVIII e XIX). Várias pessoas do mundo todo e do Brasil visitam Ouro Preto e outras cidades históricas de Minas que guardam as obras de arte do Aleijadinho e de tantos artistas da época.